AVERTIR LES ENFANTS DU DANGER, C'EST DÉJÀ LES PROTÉGER

Abus et négligence

ADAPTATION FRANÇAISE DES TEXTES DE

JOY BERRY

<< Contrairement aux slogans qui nous font oublier l'essentiel, les enfants et les jeunes ne sont ni une << richesse de demain >> ni une << force d'avenir >>. Nos enfants et nos jeunes sont une force du présent. Ils ne vivent pas les plaisirs, les tristesses, les caresses, les abus ou les négligences de demain. Ils vivent leurs réussites et leurs échecs d'aujourd'hui. Ils enrichissent ou appauvrissent notre société maintenant. C'est maintenant qu'l'on doit se montrer << fou >> d'eux... même si cela demande un engagement autrement plus exigeant que l'espoir passif et futile qu'ils s'en sortiront bien un jour, eux aussi.

La promotion du bien-être des enfants et des jeunes, la prévention de leurs problèmes graves, ce n'est pas pour demain. Il faut s'en occuper dès maintenant, et résolument ! >>

Groupe de travail pour les jeunes, présidé par **Monsieur Camil Bouchard** [...]
Psychologue, directeur du laboratoire de recherche en écologie humaine et sociale (LAREHS) Université du Québec à Montréal

Jean-Paul Saint-Michel
Éditeur

Éditeur :
Jean-Paul Saint-Michel

Adaption et version française :
Micheline Émond
Amanda Cough
Hélène Lecompte
Claire Rocher
Thérèse Tétrault
Martin Vachon

Coordination :
Louise Mondoux

Illustration :
Bartholomew

Couverture :
Jean Merrette
François Robert

Infographie :
Graphiques Scafidi inc.

Pelliculage :
CLS Graphiques inc.

Impressions :
Imprimeries Transcontinental inc.

Distribution :
Les éditions Deco.
C.P. 90 Boucherville, Qué.
J4B 5E6

Version original anglaise :
Copyright © 1996 Responsible Kids : Gold Star

Version française adaptée :
Copyright © 1996 Jean-Paul Saint-Michel

Dépôt légal : Bibliothèque nationale du Québec et Bibliothèque nationale
du Canada, 2ᵉ trimestre 1996.

Imprimé au Canada

ISBN 0-919039-91-X

Message de l'éditeur

Je veux dédier ce livre à Claudia, ma petite fille. C'est elle qui m'a fait réaliser toute la fragilité des jeunes enfants et la nécessité de les aimer et de les protéger. Puisse ce livre renseigner le plus grand nombre d'enfants des dangers qui les guettent et ainsi leur éviter, autant que possible, de vivre des expériences douloureuses.

Je veux remercier l'auteure, madame Joy Berry, de m'avoir si gentiment autorisé à utiliser ses textes pour en faire une adaptation québécoise. Je veux aussi remercier mesdames Louise Mondoux et Claire Rocher, monsieur Martin Vachon de la Commission des droits de la personne et des droits de la jeunesse pour leur précieuse collaboration. Des remerciements vont aussi à tous ceux et celles qui ont rendu possible l'édition de cette collection.

Jean-Paul Saint-Michel
Éditeur

AVERTIR LES ENFANTS DU DANGER, C'EST DÉJÀ LES PROTÉGER

Autrefois, les gens croyaient que les enfants devaient ignorer certaines choses, pour leur propre bien. Cette croyance ne s'applique plus à un monde en constante évolution. Les enfants doivent en savoir le plus possible sur la vie et ses dangers. Puisqu'ils peuvent imaginer des situations qui dépassent toute réalité, ils ont besoin d'une information réaliste, claire et précise. Plus les enfants sont renseignés, mieux ils peuvent se protéger en cas de danger.

Tout adulte responsable et qui aime les enfants désire leur sécurité. Malheureusement, notre société est de moins en moins sécuritaire. Le nombre d'enfants dont on abuse sexuellement est alarmant. Ce phénomène touche toutes les couches de la société.

D'après les statistiques, la très grande majorité des agresseurs connaissent leur victime. Ainsi, les enfants peuvent être victimes d'abus sexuels à la maison, à l'école, à la garderie, au camp de vacances et dans d'autres lieux que l'on croit «sûrs».

Vous pouvez agir préventivement et éviter que les enfants soient victimes d'abus sexuels en leur donnant toute l'information dont ils ont besoin. Le présent livre fournit des explications simples que les enfants peuvent comprendre. Il énumère des mesures préventives ainsi que des gestes que peuvent poser les enfants en cas d'abus sexuel.

Lisez ce livre avec les enfants et veillez à ce qu'ils le comprennent. Demandez-leur s'ils ont des questions et répondez-y ouvertement et honnêtement. Vous prendrez ainsi une initiative essentielle au bien-être des enfants. La sensibilisation aux problèmes et aux solutions peut être la meilleure protection. À la fin de ce livre, vous trouverez des renseignements destinés aux parents et aux différents intervenants et intervenantes, concernant les droits des enfants et les motifs de signalement.

Ce livre n'a pas pour objet de vous effrayer ou d'effrayer les enfants. Il vise à transformer la peur en une saine prudence et à permettre aux jeunes de demeurer en sécurité, heureux et libres.

Les personnes âgées
de moins de 18 ans
sont des **enfants**.
Dès qu'elles atteignent
l'âge de 18 ans,
les personnes
deviennent des **adultes**.

Je suis un
enfant.

Les adultes, tels que les :
- mère et père
- tutrice et tuteur
- enseignante et enseignant
- éducatrice et éducateur
- monitrice et moniteur
- gardienne et gardien
sont responsables
des enfants qui leur sont
confiés.

Les adultes responsables des enfants
doivent s'assurer que ces derniers :
- ne se blessent pas
- ne blessent pas d'autres personnes
- n'endommagent ou ne détruisent pas
  les biens des autres.

Lorsque les enfants se blessent,
les adultes doivent leur procurer
les soins appropriés.

Lorsque les enfants blessent d'autres personnes, les adultes doivent leur assurer les soins appropriés.

Lorsque les enfants endommagent ou détruisent
un objet, les adultes doivent le réparer
ou le remplacer.

Les adultes sont responsables des enfants. C'est l'une des raisons pour lesquelles ils ne veulent pas que ces derniers aient des comportements indésirables. Les adultes aident les enfants à bien se comporter en ayant parfois recours à la discipline.

Tu as quitté la classe sans me le dire. Il vaut mieux ne pas faire cela, parce que...

L'intervention verbale est une forme de discipline. Parfois, les adultes parlent aux enfants et leur expliquent ce qu'ils devraient faire ou ne pas faire et pourquoi. Ils leur font voir aussi les conséquences de leurs comportements indésirables.

Assumer les conséquences naturelles de ses gestes
est une autre forme de discipline. Certains adultes
permettent aux enfants de vivre les conséquences de
leurs comportements indésirables. Ils les amènent
ainsi à constater les effets désagréables de ces
comportements et les aident à comprendre
pourquoi ils devraient les éviter.

Je suppose que c'est ma faute si ma bicyclette est rouillée. Je n'aurais pas dû la laisser à la pluie.

Imposer des punitions est une autre forme de discipline. Certains adultes amènent les enfants à réfléchir à leurs comportements indésirables en leur faisant faire quelque chose qui réparera les dommages.

Puisque tu as brisé le jouet de ta soeur, tu devras essayer de le réparer ou en acheter un autre avec ton propre argent.

La mise en retrait est une autre forme de discipline. Certains adultes envoient les enfants dans un endroit qui leur permettra d'interrompre leurs comportements indésirables et de réfléchir à ce qui s'est passé.

Allez dans votre chambre et ne revenez que lorsque vous serez disposés à ne plus vous disputer.

La privation est une autre forme de discipline.
À la suite d'un comportement indésirable,
certains adultes défendent aux enfants de faire
ou d'obtenir quelque chose qu'ils aiment.
Ils les incitent ainsi à réfléchir.

Tu ne peux pas regarder la
télévision aujourd'hui à
cause de ce que tu as fait.

La plupart des adultes ont recours à la discipline avec les enfants en mettant l'accent sur :
- l'intervention verbale
- les conséquences naturelles
- les punitions imposées
- la mise en retrait
- la privation.

Les adultes utilisent ces recours pour :
- aider les enfants à adopter des comportements respectueux d'eux-mêmes et des autres
- éviter les comportements indésirables
- encourager une conduite acceptable.

Certains adultes exagèrent lorsqu'ils
ont recours à la discipline avec les
enfants. Leurs gestes et leurs paroles
sont démesurés. Par conséquent,
ils font du tort aux enfants au
lieu de les aider.

Tu ne peux rien faire de bien. Je voudrais ne t'avoir jamais mise au monde.

Certains adultes exagèrent lorsqu'ils s'adressent aux enfants. Ils parlent très fort ou utilisent des paroles extrêmement cruelles. Ce type de situation se produit parfois devant d'autres personnes. Ce qu'ils disent incite les enfants à :

- avoir peur la plupart du temps
- se croire mauvais en tout
- avoir honte d'eux-mêmes
- se croire incapables de faire quoi que ce soit de bien.

19

Certains adultes exagèrent le recours aux conséquences naturelles. Ils laissent les enfants subir les effets de leurs comportements, même si ceux-ci risquent de se blesser gravement.

Certains adultes imposent des punitions excessives
aux enfants. Ils les forcent à accomplir des tâches
trop difficiles ou pénibles.

... et quand tu auras fini la vaisselle, fais la lessive et nourris le bébé.

Encore une fois, j'en ai pour toute la soirée.

Certains adultes exagèrent lorsqu'ils mettent les enfants en retrait. Ils les obligent à rester dans des endroits épeurants pour de très longues périodes.

J'ai peur dans ce placard. Ils m'obligent toujours à demeurer ici très longtemps. J'ai besoin d'aller aux toilettes.

SNiFF SNiFF

Certains adultes exagèrent les privations imposées aux enfants. Ils les privent de choses importantes comme la nourriture et l'eau, ou ils leur interdisent de faire des choses nécessaires à leur survie.

J'ai faim. Je n'ai rien mangé depuis deux jours.

Tu ne mérites pas de manger. Tu as été un mauvais garçon.

Certains adultes exagèrent lorsqu'ils
imposent des punitions aux enfants.
Leurs gestes entraînent des :
- blessures
- bleus
- brûlures
- fractures.

Lorsque les adultes exagèrent, il ne s'agit pas de discipline, mais d'**abus**. Il y a plusieurs façons d'abuser des enfants.

Tout geste intentionnel qui peut entraîner une maladie, des blessures ou la mort s'appelle **abus physique**. Tout ce qui incite les enfants à souvent se sentir très mal s'appelle **abus émotionnel**.

Une autre forme d'abus s'appelle **négligence**.
La négligence survient quand les adultes ne
font pas tout ce qu'ils peuvent pour donner
aux enfants ce dont ils ont besoin pour
survivre, grandir et s'épanouir.

Je m'inquiète pour Thomas. Il n'apporte jamais de dîner ou d'argent pour son repas à l'école.

Il est très maigre. Je suis certaine qu'il ne mange pas à sa faim à la maison, non plus...

Certains adultes négligent les enfants parce qu'ils ne font pas tout ce qu'ils peuvent pour leur donner des choses nécessaires, telles que :
- la nourriture
- les vêtements
- une demeure convenable.

Certains adultes négligent les enfants en ne leur donnant pas les soins dont ils ont besoin pour rester en bonne santé. Ces adultes ne font rien pour éviter que les enfants soient malades. Ils ne leur assurent pas, non plus, les soins médicaux nécessaires lorsqu'ils sont malades ou blessés.

Il y a longtemps que cet enfant aurait dû recevoir des soins médicaux.

Certains adultes négligent les enfants en ne leur assurant pas la surveillance dont ils ont besoin pour rester en santé et en sécurité. Ces adultes n'essaient pas d'empêcher les enfants de se blesser. Ils n'essaient pas, non plus, de les protéger de dangers qui peuvent se produire.

Ne vous donnez pas la peine de chercher ses parents, ils ne sont jamais à la maison. Elle est seule la plupart du temps.

Cette enfant jouait dans la rue. J'ai failli la frapper avec ma voiture!

29

Certains adultes négligent les enfants en les empêchant de participer à des activités qui leur permettraient d'apprendre et de se développer intellectuellement.

Certains adultes négligent les enfants en les empêchant d'avoir les contacts sociaux dont ils ont besoin. Ces adultes ne permettent pas aux enfants de parler avec les autres ou de les fréquenter. Par conséquent, les enfants n'apprennent pas à se faire des amis.

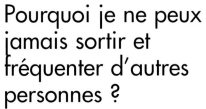

Pourquoi je ne peux jamais sortir et fréquenter d'autres personnes ?

Personne ne t'aime. Personne ne veux être ton ami.

31

Les adultes maltraitent et négligent les enfants pour de
nombreuses raisons.

1. L'IMMATURITÉ

Certains adultes manquent de maturité et de sagesse et ne se
comportent pas comme il le faudrait. Par conséquent,
ils peuvent abuser des enfants ou les négliger.

> Je n'avais que quinze ans
> à la naissance de mon
> premier enfant. Je n'étais
> qu'une enfant moi-même.

2. L'IGNORANCE

Certains adultes ne connaissent pas beaucoup les enfants. Ils ne savent pas ce dont les enfants ont besoin ni comment les traiter. Ces adultes deviennent abusifs ou négligents à cause de leur ignorance.

Pourquoi ne peux-tu pas agir en adulte ?

3. LES ATTENTES IRRÉALISTES

Certains adultes s'attendent à ce que les enfants agissent en adultes. Ils ne comprennent pas qu'il est physiquement et mentalement impossible pour les enfants d'agir ainsi. Lorsque les enfants n'agissent pas comme de grandes personnes, les adultes sont souvent déçus et deviennent abusifs ou négligents.

Parce que je ne suis pas un adulte.

4. LA FRUSTRATION

Certains adultes vivent continuellement des situations difficiles qu'ils ne peuvent pas surmonter. Ils deviennent frustrés et ils se défoulent en abusant des enfants ou en les négligeant.

STRESS

SOUCIS

ARGENT

5. LES BESOINS INASSOUVIS

Certains adultes ne croient pas que les autres les aiment ou s'intéressent à eux. Ils s'attendent à ce que les enfants les aiment et prennent soin d'eux. Si les enfants ne peuvent pas combler leurs besoins, ces adultes sont souvent en colère et deviennent abusifs ou négligents.

Personne ne prend soin de moi. Alors, pourquoi prendrais-je soin des autres?

6. LE DÉCOURAGEMENT

Certains adultes n'ont pas de famille ou d'amis qui habitent près d'eux. Ils croient que personne ne peut les aider en cas de besoin. Ils se sentent abandonnés et découragés. Ces sentiments les poussent parfois à devenir abusifs ou négligents.

7. LA DROGUE ET L'ALCOOL

Certains adultes consomment trop
d'alcool ou de drogue. Ces substances
les amènent à se conduire de façon
bizarre et ils peuvent abuser des
enfants ou les négliger.

OH NON ! Il va
encore s'enivrer.
Il me frappe toujours
quand il a trop bu.

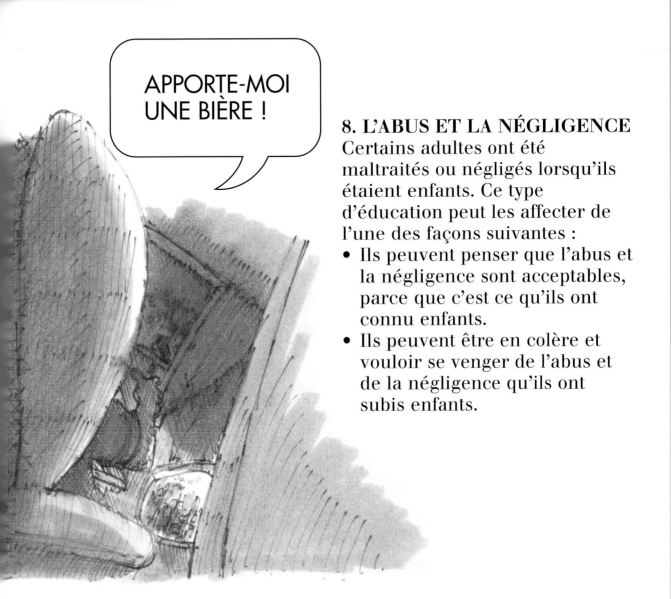

APPORTE-MOI UNE BIÈRE !

8. L'ABUS ET LA NÉGLIGENCE

Certains adultes ont été maltraités ou négligés lorsqu'ils étaient enfants. Ce type d'éducation peut les affecter de l'une des façons suivantes :

- Ils peuvent penser que l'abus et la négligence sont acceptables, parce que c'est ce qu'ils ont connu enfants.
- Ils peuvent être en colère et vouloir se venger de l'abus et de la négligence qu'ils ont subis enfants.

Il y a beaucoup de raisons pour lesquelles certains adultes sont abusifs et négligents. Cependant, ces raisons ne justifient pas leur comportement. L'abus et la négligence sont **INACCEPTABLES**.

Il est **ILLÉGAL** qu'un adulte, qui qu'il soit, abuse d'un enfant et ce, pour quelque raison que ce soit.

La loi s'applique à tout le monde :
• parents
• tutrices et tuteurs,
• membres de la parenté,
• enseignantes et enseignants
• monitrices et moniteurs
• gardiennes et gardiens
• amies et amis
• voisines et voisins

Il est **ILLÉGAL** que les adultes abusent d'un enfant qui est sous leur responsabilité ou le néglige.

Il est donc **ILLÉGAL** qu'on abuse de toi ou qu'on te néglige. Peu importe qui tu es ou ce que tu as fait, on ne doit jamais :
- abusé de toi physiquement
- abusé de toi émotionnellement
- te négliger.

Il peut être difficile pour toi de faire la différence entre la discipline et l'abus. Il peut être difficile de préciser si un adulte a abusé de toi ou t'a négligé. Et c'est particuliè-rement difficile quand on est un enfant de décider de ces choses par soi-même.

Comment savoir si nous avons été maltraités ou négligés ?

La plupart des adultes autour de toi veulent ton
bien et peuvent t'aider à faire ces différences.
Ils peuvent t'aider à préciser si on a abusé
de toi ou si on t'a négligé.

Si tu crois qu'un adulte abuse de toi ou te néglige, parle à quelqu'un. Choisis une personne en qui tu as confiance. Assure-toi que cette personne est plus vieille que toi et qu'elle est capable de t'aider. Cette personne peut être :

- ta mère ou ton père
- ta tutrice ou ton tuteur
- une enseignante ou un enseignant
- une directrice ou un directeur d'école ou de garderie
- une éducatrice ou un éducateur
- une monitrice ou un moniteur
- un membre de ta parenté (comme un grand-parent, une tante ou un oncle)
- une amie ou un ami
- d'autres personnes de ton entourage.

Assure-toi de dire la vérité.
Donne tous les détails sans
exagérer. Il est **TRÈS
IMPORTANT** dans ces
situations de dire la vérité.

… et c'est
la vérité.

Si l'adulte que tu soupçonnes n'a pas vraiment abusé de toi ou ne t'a pas négligé, les personnes à qui tu parles peuvent te rassurer. Elles peuvent aussi t'aider à comprendre la raison de son comportement.

T'envoyer dans ta chambre quelques instants pour réfléchir n'est pas de l'abus... c'est plutôt de la discipline.

Bonne réponse.

Si on a abusé de toi, si on t'a négligé, les personnes à qui tu te confies peuvent t'aider et veiller à ce que l'abus et la négligence cessent.

Il peut arriver que les personnes qui t'aident aient à te séparer quelque temps de l'adulte abusif et négligent.

Cette séparation permettra à ce dernier de réfléchir sur les moyens qu'il devra prendre pour résoudre les problèmes qui l'ont amené à agir ainsi. Cela te permettra aussi de te sentir en sécurité et de recevoir des soins appropriés.

Si tu crois qu'un ami est maltraité ou négligé, encourage-le
à se confier à des adultes en qui il peut avoir confiance.
Tu peux toi-même parler de la situation de ton ami à
des adultes pour t'assurer qu'il recevra de l'aide.

Si les adultes à qui tu parles ne t'aident pas, parle à d'autres adultes. Continue d'en parler jusqu'à ce que tu trouves quelqu'un qui t'aide.

Personne ne devrait jamais être victime :
- d'abus physique
- d'abus émotionnel
- de négligence

Renseignements destinés aux parents et aux intervenantes et intervenants

Une loi fondamentale

La Charte des droits et libertés de la personne

Au Québec, la Charte confère à toute personne, **petite ou grande**, des libertés et droits fondamentaux nécessaires, notamment, à la protection et à l'épanouissement de la personnalité de chaque être humain et à la responsabilisation de chacun à l'égard des autres et du bien-être général.

La Charte québécoise énonce clairement que **tout être humain a droit à la vie, ainsi qu'à la sûreté, à l'intégrité et à la liberté de sa personne** et qu'il possède une personnalité juridique. Elle affirme aussi que tout être humain dont la vie est en péril a droit au secours et que toute personne doit porter secours à celui dont la vie est en péril, personnellement ou en obtenant du secours, en lui apportant l'aide physique nécessaire et immédiate, à moins d'un risque pour elle ou pour les tiers ou d'un autre motif raisonnable.

De plus, elle reconnaît spécifiquement que **tout enfant a droit à la protection, à la sécurité et à l'attention** que ses parents ou les personnes qui en tiennent lieu peuvent lui donner.

Une loi pénale

Le Code criminel

Le Code criminel en vigueur au Québec prévoit les circonstances dans lesquelles un adulte commet une infraction à l'égard d'un enfant. Notamment, une personne qui, à des fins d'ordre sexuel, touche avec une partie de son corps ou avec un objet, à une partie du corps d'un enfant ou qui l'incite à le toucher, à se toucher ou à toucher à une tierce personne avec une partie du corps ou avec un objet, est coupable d'un acte criminel.

De même, toute personne qui enlève, entraîne, retient, cache ou héberge un enfant avec l'intention de priver de la possession de ce dernier le père, la mère, le tuteur ou la personne qui en a la charge ou la garde légale, est coupable d'un acte criminel.

Le Code criminel interdit aussi l'usage d'une force déraisonnable de la part des instituteurs, des parents, ou de la personne qui remplace ces derniers, quand ils ont recours à la discipline pour un enfant.

Une loi particulière

La Loi sur la protection de la jeunesse

Une loi particulière existe pour venir en aide aux enfants, lorsqu'ils sont en difficulté. Il s'agit de la *Loi sur la protection de la jeunesse.*

Cette loi concerne uniquement les enfants âgés de moins de 18 ans qui vivent des situations qui compromettent ou peuvent compromettre leur sécurité ou leur développement. Il s'agit d'enfants que l'on considère en difficulté, soit les enfants abandonnés, maltraités, exploités, victimes d'abus physiques ou sexuels ou qui présentent des troubles de comportement sérieux.

Un personnage social chargé de protéger les enfants en difficulté

Le directeur de la protection de la jeunesse

Nos traditions et nos lois reposent sur la reconnaissance du principe selon lequel les parents sont les premiers responsables de leurs enfants. La *Loi sur la protection de la jeunesse* reconnaît d'emblée cette responsabilité. Cependant, lorsque les parents ne sont plus en mesure de s'acquitter de leurs responsabilités, elle indique que le **directeur de la protection de la jeunesse** (DPJ) doit intervenir pour faire cesser la situation qui compromet la sécurité ou le développement de l'enfant. Le directeur peut également référer la situation de l'enfant à la Chambre de la jeunesse de la Cour du Québec, pour protéger l'enfant.

Un organisme voué au respect des droits de l'enfant

La Commission des droits de la personne et des droits de la jeunesse

La Commission des droits de la personne et des droits de la jeunesse a pour mission de veiller au respect des principes énoncés dans la *Charte des droits et libertés de la personne* ainsi qu'à la protection de l'intérêt de l'enfant et aux droits qui lui sont reconnus par la *Loi sur la protection de la jeunesse*. Elle assume cette responsabilité par diverses activités de promotion et de surveillance.

L'obligation de signaler et la confidentialité

Un enfant en difficulté est souvent un enfant seul, démuni et qui ne peut compter pleinement sur son milieu familial pour assurer son développement harmonieux. Cet enfant porte en lui une lourde vérité, une douleur qui s'amplifie, un mal qui l'emprisonne souvent dans le silence et le secret. Pour avoir accès à cette aide, l'enfant doit pouvoir compter sur la participation de la communauté.

La *Loi sur la protection de la jeunesse* confirme que la protection de l'enfant est une responsabilité collective. Selon l'article 39, **toute personne** prodiguant des soins ou dispensant des services à des enfants ou des adolescents, même si elle est liée par le secret professionnel, a l'obligation de faire un signalement au directeur de la protection de la jeunesse, lorsqu'elle a **un motif raisonnable** de croire que la sécurité ou le développement d'un enfant sont compromis au sens de la loi.

L'article 44 de la *Loi sur la protection de la jeunesse* protège l'action de signaler. En effet, il établit clairement que nul ne peut dévoiler ou être contraint de dévoiler l'identité de la personne signalante sans son consentement.

Le texte suivant présente les situations de compromission concernant la sécurité et le développement de l'enfant, prévues à l'article 38 de la *Loi sur la protection de la jeunesse*. Pour chacune de ces situations, suit une liste d'indices et de significations diverses, auxquels on peut référer pour évaluer la situation d'un enfant. Il est important de souligner que la présence d'un seul indice suffira à justifier un signalement. Toutefois, dans la plupart des situations, c'est un **ensemble d'indices** qui permettront de croire que la sécurité ou le développement d'un enfant est compromis.

Article 38

«...la sécurité ou le développement de l'enfant est considéré comme compromis :

a) si ses parents ne vivent plus ou n'assument pas de fait le soin, l'entretien ou l'éducation;»

Quelques indices...
- Manifestations continues d'indifférence de la part des parents aux nombreuses demandes de l'école touchant les soins et l'entretien de l'enfant;
- l'enfant dit se faire souvent mettre à la porte lors de crises familiales;
- l'enfant ne vit plus avec ses parents et il est balloté d'un endroit à l'autre;
- départs fréquents de l'école avec d'autres enfants, allant tantôt chez l'un tantôt chez l'autre, sans que ses parents ne semblent intéressés de savoir où il va et avec qui.

...et ce qu'ils peuvent signifier
- Les parents se désintéressent de l'enfant à tout point de vue;
- l'enfant pourrait se trouver en situation d'abandon.

b)«si son développement mental ou affectif est menacé par l'absence de soins appropriés ou par l'isolement dans lequel il est maintenu ou par un rejet affectif grave et continu de la part de ses parents;»

Quelques indices...
- Manifestations de dépréciation ou d'agressivité continues de la part de ses parents;
- renforcement négatif des parents à l'égard de l'enfant :
  - comparaisons dévalorisantes avec des adultes ayant une image négative;
  - surnoms peu flatteurs;
- propos de l'enfant :
  - il se dévalorise et se trouve «bon à rien» en tout;
  - ses parents lui interdisent d'avoir des camarades de son âge;
  - ses parents nuisent à la fréquentation scolaire régulière;
  - l'enfant apparaît peu stimulé en regard de son groupe d'âge;
- expression de sentiments de rejet et d'abandon chez l'enfant;
- idée de mort souvent présente chez l'enfant (en paroles ou en dessins);
- refus ou négligence des parents de consulter un professionnel de la santé mentale, à la demande de l'école.

...et ce qu'ils peuvent signifier

- Les parents se coupent de toute communication avec l'extérieur, ils font le vide autour d'eux;
- les parents cherchent, en utilisant toutes sortes de prétextes, à maintenir l'enfant en situation d'isolement;
- l'enfant est étiqueté négativement par ses parents et par lui-même;
- l'image que l'enfant a de lui-même l'empêche d'établir des liens harmonieux avec son entourage.

c) «si sa santé physique est menacée par l'absence de soins appropriés;»

Quelques indices...

- Maladies non soignées, blessures non désinfectées;
- refus ou négligence des parents de consulter un professionnel de la santé pour des besoins cernés par l'école (caries dentaires et déficiences visuelles, auditives, motrices ou autres);
- malnutrition;
- justifications répétées des parents de ne pas consulter ou de ne pas poursuivre un traitement.

...et ce qu'ils peuvent signifier

- Les parents n'attachent pas ou attachent peu d'importance à la santé, au bien-être et à la l'état physique de leurs enfants;
- les parents ne reconnaissent pas les besoins spécifiques de l'enfant en fonction de sa croissance physique et de sa vulnérabilité;
- la méfiance des parents envers les professionnels de la santé prive l'enfant de soins médicaux auxquels il devrait normalement avoir accès.

d) «s'il est privé de conditions matérielles d'existence appropriées à ses besoins et aux ressources de ses parents ou de ceux qui en ont la garde;»

Quelques indices...

- Espace de vie et conditions matérielles, à la maison, qui nuisent sérieusement à l'enfant ou empêchent la satisfaction de ses besoins essentiels (repos, concentration);
- lunchs inexistants, insuffisants ou inadéquats;
- vol ou quête de nourriture de la part de l'enfant;

- maladies à répétition (rhume ou pneumonie);
- manque constant d'hygiène;
- vêtements toujours sales ou troués;
- fréquence de poux;
- apparence physique de l'enfant dénotant l'insuffisance de nourriture, de sommeil, de grand air, de loisirs appropriés à son âge, de vêtements adéquats pour la saison;
- petits vols d'objets usuels.

...et ce qu'ils peuvent signifier

- L'enfant souffre de privations répétées;
- les parents minimisent les effets des maladies liées à un environnement inapproprié (chauffage inadéquat, installations sanitaires insuffisantes, mauvaise hygiène des lieux);
- les parents remettent à l'enfant toute la responsabilité de subvenir à ses besoins matériels;
- les parents n'ont pas les moyens ou négligent de répondre aux besoins élémentaires de l'enfant.

e) «s'il est gardé par une personne dont le comportement ou le mode de vie risque de créer pour lui un danger moral ou physique;»

Quelques indices propres à l'enfant...

- Manque de sommeil;
- sous-stimulation;
- Hyperresponsabilisation ou pseudo-maturité;
- symptômes de dépression (tristesse, mutisme, renfermement, etc.);
- blessures physiques à répétition;
- menaces ou tentatives de suicide;
- propos de l'enfant :
  - il est témoin ou victime de violence verbale ou physique à la maison;
  - il n'est soumis à aucune règle quant à ses déplacements et ses heures de rentrée;
  - il est souvent laissé seul ou confié à un enfant trop jeune.

quelques indices propres aux parents...

- Abus de drogue ou d'alcool;
- problèmes d'ordre psychiatrique;
- déficience mentale;
- épisodes dépressifs graves;
- instabilité, impulsivité, irresponsabilité ou confusion;

- incapacité d'assumer une autorité suffisante;
- violence familiale;
- banalisation systématique d'actes criminels.

...et ce qu'ils peuvent signifier
- Les parents sont tellement centrés sur leurs préoccupations et leurs problèmes qu'ils sont incapables de percevoir ceux de leurs enfants;
- les parents sont incapables d'assurer une surveillance adéquate de l'enfant;
- la situation familiale de l'enfant est extrêmement précaire et risque d'éclater à tout moment;
- les rôles du parent et de l'enfant sont inversés (maternage du parent par l'enfant).

f) **«s'il est forcé ou incité à mendier, à faire un travail disproportionné à ses capacités ou à se produire en spectacle de façon inacceptable eu égard à son âge;»**

Quelques indices...
- Travaux scolaires omis de façon constante;
- absentéisme scolaire fréquent;
- épuisement physique;
- propos de l'enfant
  - il est débordé de travail à la maison ou à l'entreprise familiale;
  - il doit lui-même subvenir à ses besoins (effets scolaires, vêtements, repas, articles de sport, etc.);
  - il se produit en spectacle ou participe à la production de vidéos pornographiques;

...et ce qu'ils peuvent signifier
- L'apprentissage «de la vie» est démesurément privilégié au détriment de l'apprentissage scolaire.

g) **«s'il est victime d'abus sexuels ou est soumis à des mauvais traitements physiques par suite d'excès ou de négligence;»**

Quelques indices...
- Traces de coups ou lésions corporelles;
- refus de l'enfant de se faire examiner;
- crainte des adultes ou du sexe opposé;

- incontinence urinaire ou fécale;
- régressions dans le développement;
- vomissements fréquents, cauchemars, insomnie, etc.;
- peur de retourner à la maison, fugues;
- changement brusque dans les comportements et le rendement scolaire;
- problèmes d'attention et de concentration;
- confidences de l'enfant;
- M.T.S. à un très jeune âge;
- comportement sexuel précoce;
- prostitution;
- enrichissement soudain de l'enfant qui donne argent et cadeaux aux autres;
- allusion à des expériences de pornographie.

quelques indices caractéristiques des attitudes des adultes...
- Intérêt inhabituel à l'endroit d'un enfant;
- octroi de privilèges à l'enfant par rapport à la fratrie;
- propos contradictoires sur la cause des blessures et lésions ou réponses évasives.

...et ce qu'ils peuvent signifier
- L'enfant est atteint et profondément affecté dans son intégrité et son identité corporelle;
- l'enfant tente de sauvegarder l'équilibre familial par son silence et ses justifications;
- la famille constitue un système rigide, fermé et replié sur lui-même;
- les rôles parentaux sont inversés; il y a confusion des rôles selon les générations;
- l'enfant multiplie les messages à son entourage, pour que quelqu'un entende son appel à l'aide;
- l'enfant est exposé à des événements ou à des expériences, notamment sexuelles, inappropriées à son étape de développement.

h) **«s'il manifeste des troubles de comportement sérieux et que ses parents ne prennent pas les moyens nécessaires pour mettre fin à la situation qui compromet la sécurité ou le développement de leur enfant ou n'y parviennent pas.»**

Quelques indices...

- Isolement (passivité, absence d'amis, fermeture sur soi);
- vols à la maison, à l'école, méfaits ou vandalisme;
- refus et défi de l'autorité, impolitesse, carapace de dur;
- comportements inacceptables ou crises qui désorganisent la classe;
- manifestations fréquentes et incontrôlables d'agressivité;
- consommation ou vente de drogue ou d'alcool;
- automutilation, tendances suicidaires;
- absence apparente de culpabilité et de jugement moral;
- identification à des groupes marginaux.

...et ce qu'ils peuvent signifier

- L'enfant vit des problèmes affectifs graves ou des situations d'abus;
- l'enfant vit dans une famille à problèmes multiples;
- les parents sont impuissants à contrôler l'enfant ou ont démissionné;
- l'enfant recherche de l'attention ou demande de l'aide par des comportements négatifs;
- l'enfant tend vers des attitudes délinquantes.

Article 38.1

«La sécurité ou le développement d'un enfant peut être considéré comme compromis :

a) s'il quitte sans autorisation son propre foyer, une famille d'accueil ou une installation maintenue par un établissement qui exploite un centre de réadaptation ou un centre hospitalier alors que sa situation n'est pas prise en charge par le directeur de la protection de la jeunesse;

b) s'il est d'âge scolaire et ne fréquente pas l'école ou s'en absente fréquemment sans raison;

c) si ses parents ne s'acquittent pas des obligations de soin, d'entretien et d'éducation qu'ils ont à l'égard de leur enfant ou ne s'en occupent pas d'une façon stable, alors qu'il est confié à un établissement ou à une famille d'accueil depuis un an.»

Chaque paragraphe de l'article 38.1 constitue un indice particulier auquel la loi impose d'être attentif sans, pour autant, en faire un motif de signalement. D'autres indices s'ajoutant, on aura un motif raisonnable de croire que la sécurité ou le développement de l'enfant sont compromis, et un signalement au directeur de la protection de la jeunesse (DPJ) s'imposera.

Appel d'urgence, signalement ou demande de renseignements

Le Service de police

En cas d'urgence, on peut communiquer en tout temps avec le Service de police de sa municipalité en composant **911**, là où ce service est disponible. Il y a un numéro de téléphone pour **les appels d'urgence** que l'on trouve à **la page 1 de tous les annuaires téléphoniques du Québec**, y compris celui de la **Sûreté du Québec.**

Le directeur de la protection de la jeunesse

Pour faire un signalement, on peut joindre **en tout temps** le directeur de la protection de la jeunesse, en consultant la page 2 de l'annuaire téléphonique, à la rubrique **Urgence sociale,** ou les pages blanches, à **Centre de protection de l'enfance et de la jeunesse.**

La Commission des droits de la personne et des droits de la jeunesse

Pour en savoir davantage sur les principes énoncés dans la *Charte des droits et libertés de la personne* et les droits des enfants reconnus par la *Loi sur la protection de la jeunesse* et la *Loi sur les jeunes contrevenants,* on peut s'adresser à la **Commission des droits de la personne et des droits de la jeunesse.** On peut joindre un représentant ou une représentante de la Commission, en consultant les pages bleues consacrées au gouvernement du Québec de l'annuaire téléphonique de sa région. La Commission accepte les frais d'appel.

Qu'est-ce que ESPACE ?

Le Regroupement des équipes régionales Espace comprend des organismes communautaires autonomes qui travaillent depuis plus de 10 ans à la prévention de toutes les formes d'abus, dont peuvent être victimes les enfants du Québec. Elles offrent aux jeunes de deux à douze ans et aux adultes de leur communauté, des ateliers visant à fournir des moyens de prévenir ces abus et d'y faire face.

Responsable de l'implantation et du développement du programme Espace au Québec, le Regroupement des équipes régionales Espace (R.E.R.E.) croit que la prévention se vit d'abord au quotidien, au fil des relations basées sur le respect mutuel et sur la communication ouverte. Être à l'écoute des enfants, les appuyer dans leur recherche d'autonomie importent tout autant que leur transmettre des connaissances au sujet des divers abus dont ils peuvent être victimes.

La série *Avertir les enfants du danger, c'est déjà les protéger* peut vous aider à mieux renseigner les enfants. À vous d'adapter son contenu à vos valeurs ainsi qu'aux besoins et aux expériences vécues par vos enfants.

REMERCIEMENTS aux entreprises suivantes pour leur précieuse collaboration :

Graphiques Scafidi inc.   M. Andrea Scafidi, président
Imprimeries Transcontinental inc. Mme Danica Zuppan, superviseur
Le Groupe Jean Coutu (PJC)   M. Alain Lafortune, vice-président
Promag inc.   M. Ralph Pagnotta, président